快乐童话

ZHUYINCAIHUIBEN

目录

拔萝卜

地里长出了一个大萝卜，老爷爷怎么拔也拔不出来。

yú shì lǎo nǎi nai lái bāng máng
于是老奶奶来帮忙，
tā men shǐ jìn de bá　kě hái shi
他们使劲地拔，可还是
bá bù chū lái
拔不出来。

yí huì er xiǎo sūn nǚ yě lái le tā
一会儿，小孙女也来了，他
men bá ya bá hái shi bá bù
们拔呀拔，还是拔不
chū lái
出来。

dà huǒ jí huài le xiǎo gǒu yě lái bāng máng
大伙急坏了，小狗也来帮忙，

kě shì luó bo hái shi lài zhe bù kěn chū lái
可是萝卜还是赖着不肯出来。

接着，小花猫来了，拔呀拔，
还是拔不出来！

zhī zhī zhī　　xiǎo
"吱吱吱"，小

lǎo shǔ yě lái le　dà jiā
老鼠也来了，大家

yì qǐ yòng lì zhōng yú bá
一起用力，终于拔

chū le dà luó bo
出了大萝卜！

妈妈信箱

大伙儿终于帮老爷爷将大萝卜拔出来了。这告诉我们，只要大家团结合作，就一定能解决难题。

渔夫和魔鬼

一天，渔夫出海打鱼，打到了一只铜瓶子。

渔夫把瓶子打开，跳出一个魔鬼，要杀了他。

mó guǐ shuō jǐ bǎi nián le dōu méi rén
魔鬼说："几百年了，都没人

jiù wǒ xiàn zài wǒ jiù yào shā le nǐ
救我，现在我就要杀了你！"

渔夫想了想说："瓶子怎么装下你呢？"魔鬼变成一股青烟，钻进瓶子里。

yú fū máng jiāng gài zi fēng shàng bǎ

渔夫忙将盖子封上，把

píng zi pāo jìn le dà hǎi

瓶子抛进了大海。

妈妈信箱

小朋友,遇到难题时,我们要向渔夫学习,保持冷静,运用头脑成功解决难题。

13

大象杂技团

节日到了，大象带着自己的杂技团去给小朋友表演节目。

xiǎo hóu zi tiào shàng dà xiàng de bí zi gěi

小猴子跳上大象的鼻子，给

dà xiàng de bí zi tào shàng piào liang de huā huán

大象的鼻子套上漂亮的花环。

小熊在大象背上玩起了
倒立，脚尖上还撑了
一把小花伞。

16

xiǎo lǎo shǔ yě zài dà xiàng shēn
小老鼠也在大象身
shang biǎo yǎn tā tiào shàng le xiǎo huā
上表演，它跳上了小花
sǎn zài sǎn shang fān qǐ le
伞，在伞上翻起了
gēn tou
跟头。

xiǎo péng yǒu dōu hěn kāi xīn shuō kuài
小朋友都很开心，说："快

kàn a dà xiàng zá jì tuán de biǎo yǎn
看啊，大象杂技团的表演

zhēn hǎo a
真好啊！"

妈妈信箱

大象杂技团的表演很好看，小朋友，你会表演节目吗？

18

雪孩子

tù mā ma yào qù zhǎo luó bo　　jiù ràng xiǎo
兔妈妈要去找萝卜，就让小

bái tù hé xuě rén yì qǐ wán
白兔和雪人一起玩。

xiǎo bái tù jué de lěng jiù huí wū li kǎo
小白兔觉得冷就回屋里烤

huǒ　　　bù yí huì er jiù shuì zháo le
火，不一会儿就睡着了。

忽然，小木屋着火了，雪孩子边喊救火边向小木屋跑去。

xuě hái zi bǎ xiǎo bái tù bào le chū lái
雪孩子把小白兔抱了出来，

zhè shí sēn lín li de dòng wù dōu lái jiù huǒ le
这时，森林里的动物都来救火了。

dà huǒ bèi pū miè le   tù mā ma huí
大火被扑灭了，兔妈妈回
lái le   xiǎo bái tù yě xǐng le   kě xuě
来了，小白兔也醒了，可雪
hái zi què bú jiàn le
孩子却不见了。

xiǎo bái tù nán guò jí le　　　　bù jiǔ xuě hái
小白兔难过极了，不久雪孩

zi　biàn chéng le　yì duǒ yún　　　zài
子变成了一朵云，在

kōng zhōng xiàng xiǎo bái tù zhāo shǒu ne
空中向小白兔招手呢。

妈妈信箱

雪孩子救出了
小白兔，却牺牲了自
己。这种舍己救人的
精神多么高尚啊！

桃太郎

hé shàng yóu piāo lái yí gè dà táo
河上游漂来一个大桃

zi lǎo nǎi nǎi bǎ tā
子，老奶奶把它

dài huí le jiā
带回了家。

yí gè xiǎo nán hái cóng táo zi li tiào chū lái
一个小男孩从桃子里跳出来，
liǎng wèi lǎo rén gěi tā qǔ míng táo
两位老人给他取名"桃
tài láng
太郎"。

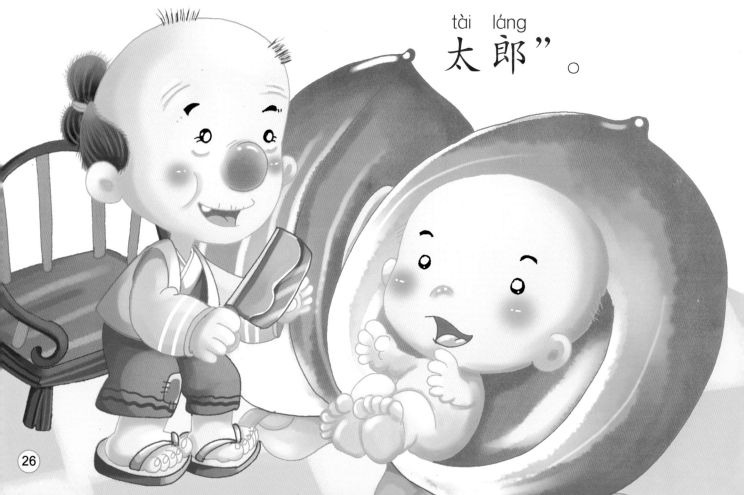

táo tài láng zhú jiàn chéngzhǎng wéi yí gè shào nián
桃太郎逐渐成长为一个少年。

zhè tiān tā jué dìng qù xiāo miè yāo guài
这天，他决定去消灭妖怪。

于是，桃太郎带着老奶奶做的糯米团子上路了。

路上，动物们吃了糯米团子后，都跟随他去消灭妖怪。

hòu lái tā men dǎ bài le yāo guài bìng
后来，他们打败了妖怪，并
bǎ yāo guài de qián dōu fēn gěi le bǎi xìng
把妖怪的钱都分给了百姓。

妈妈信箱

桃太郎凭借自己的勇敢机智打败了妖怪。这个故事告诉我们，在勇敢面前，没有什么困难是克服不了的！

天鹅和家鹅

chí zi li yǒu yí duì tiān é hé jiā
池子里有一对天鹅和家

é tā men chéng wéi le hǎo péng you
鹅，它们成为了好朋友。

jiā é jué dé zhǔ rén ài tiān é
家鹅觉得主人爱天鹅
de měi lì tiān é ān wèi tā shuō
的美丽，天鹅安慰它说：
nǐ huì xià dàn ā
"你会下蛋啊。"

yì tiān，chú shī hē zuì le，jiāng
一天，厨师喝醉了，将
tiān é tuō dào àn bǎn shang dǎ，zé guài
天鹅拖到案板上打，责怪
tā bù xià dàn
它不下蛋。

家鹅大叫："天鹅是唱歌的，下蛋是我的任务。"

厨师惊醒了，连忙把天鹅放了。

tiān é dé jiù le　　tā men zài hú
天鹅得救了，它们在湖
miàn kāi xīn de chàng zhe gē
面开心的唱着歌。

妈妈信箱
天鹅安慰了不满
的家鹅，家鹅也救了天鹅
的性命。看来，对别人的
友好会换来一份真正的
友谊。